UNA MASCOTA PARA HOMBRE MOSCA

Tedd Arnold

Scholastic Inc.

Especialmente a Scott y McKenzie

Originally published in English as *A Pet for Fly Guy*

Translated by J.P. Lombana

ISBN 978-0-545-69831-3

12 11 10 9 8 7 6 5 4 3 2 1   14 15 16 17 18 19/0

Printed in the U.S.A.   40
First Spanish printing, September 2014

Un niño tenía una mosca de mascota.
La mosca se llamaba:

¡HOMBRE MOSCA!

Hombre Mosca era la mascota
más inteligente del mundo.
Podía decir el apodo del niño:

¡BUZZ!

Un día, Buzz dijo:
—Hombre Mosca, ¡vamos a un picnic!

Buzz y Hombre Mosca jugaron a perseguirse hasta el parque.

Almorzaron juntos.
Jugaron juntos.

Miraron las nubes.

Miraron a otras personas jugar con sus mascotas.

—¡Vaya! —dijo Buzz—. Todo el mundo tiene una mascota.

¡NNNO MAZZZCOTA!

—¡Ay! Tienes razón —dijo Buzz—.
Tú no tienes una mascota.

—Pero recuerda —dijo Buzz—, tienes que cuidarla.

—Y jugar con ella —dijo Buzz.

—Y alimentarla —dijo Buzz.

—Está bien —dijo
Buzz—. Vamos a la
tienda de mascotas.

Buzz salió de la tienda de mascotas con un cachorro.
El cachorro lamió a Hombre Mosca.

Buzz salió con un gatito.
El gatito le dio un zarpazo a Hombre Mosca.

Buzz salió con una rana.
La rana persiguió a Hombre Mosca.

—Esto no está funcionando —dijo Buzz—.
Solo tú puedes encontrar la mascota ideal para ti.

¡ZZÍ!

Volvieron al parque y Hombre Mosca encontró una lombriz.
Era muy babosa.

Hombre Mosca encontró una araña.
Era muy enredada.

Hombre Mosca encontró un grillo.
Era muy inquieto.

—Pensemos en este asunto de la mascota —dijo Buzz.

—Necesitas una mascota
que sea juguetona
—dijo Buzz—. Como tú.

ZZÍ

—Necesitas una mascota que sepa hacer trucos —dijo Buzz—. Como tú.

—Necesitas una mascota que sea amigable —dijo Buzz—.
Como tú.

—Y necesitas una mascota que tenga un buen nombre —dijo Buzz.

—¡No se me había ocurrido! —dijo Buzz—.
Pero, ¿por qué no? Quiero decir, ¡ZZÍ!

—Solo tengo una condición para ser tu mascota —dijo Buzz.

—No tienes que alimentarme.

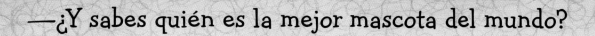
—¿Y sabes quién es la mejor mascota del mundo?